SCÉNARIO
GABY

DESSIN
DZACK

COULEURS
YOANN GUILLO

Soleil

Bonjour,
je voudrais dédicacer
ce livre à mes parents,
à Boubba mon petit
poisson et aussi à
Perceval et Karadoc
grosses bises
Vanessa

© MC PRODUCTIONS / GABY / DZACK
Soleil Productions
15, Boulevard de Strasbourg
83000 Toulon - France

Bureaux parisiens
25, Rue Titon - 75011 Paris - France

Réalisation graphique : Studio Soleil

Dépôt légal : Avril 2006 - ISBN : 2 - 84946 - 427 - 9
Première édition

 *Fabriqué en France par
Partenaires Book®*

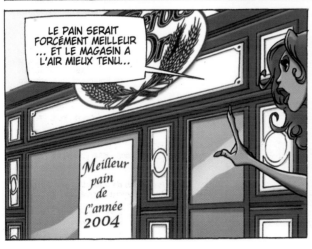

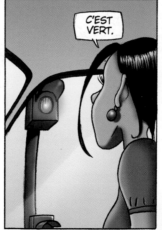

AH, TE VOILÀ !

MA PAUVRE CHÉRIE, QU'EST-CE QUI T'EST ARRIVÉ ?

J'ÉTAIS PARTIE FAIRE DU SPORT...

PISCINE

HÉ, ATTENDS ! QU'EST-CE QUE TU FAIS ?

PLUS JE COURS... PLUS C'EST DIFFICILE... DE COMPTER LES TOURS... ALORS À CHAQUE TOUR... JE JETTE UN CAILLOU...

ET QUAND JE N'EN AI PLUS... JE SAIS QUE J'AI TERMINÉ...

C'EST UNE BONNE IDÉE ! J'AI LE MÊME PROBLÈME !

EN PLUS, COMME ÇA, TU ES DE PLUS EN PLUS LÉGÈRE, ET TU FATIGUES MOINS !

HEU... OUI ?

C'EST GÉNIAL ! JE VAIS ESSAYER !

ET ALORS ?

C'EST PEUT-ÊTRE UNE BONNE IDÉE POUR COMPTER LES TOURS DE PISTE MAIS C'EST MOINS BIEN POUR COMPTER LES LONGUEURS DE PISCINE.

HOUHOU ! VANESSA ! ÇA VA ?

OUI ! J'AI UN NOUVEAU PORTABLE !

AVEC, JE PEUX FAIRE DES PHOTOS, DES VIDÉOS, ÉCOUTER DE LA MUSIQUE...

ET ON PEUT METTRE DES SONNERIES PERSONNALISÉES ! COMME ÇA, JE SAIS QUI M'APPELLE !

TOI, C'EST ÇA...

JE N'SUIS PAS UN HÉROOOOOS ! FAUT PAS CROIRE CE QUE DISENT LES JOURNAUX...

C'ÉTAIT ÇA OU "ALLUMER LE FEU !"

ÉTEINS-LE, ON VA VOIR SI ÇA MARCHE !

D'ACCORD !

JE N'SUIS PAS UN HÉROOOOOS ! FAUT PAS...?

LAISSE LA SONNERIE JUSQU'AU BOUT...

... CROIRE CE QUE DISENT LES JOUR...

OH NON, C'EST PEUT-ÊTRE IMPORTANT !

ALLÔ ? C'EST QUI ?

ALLÔ ? C'EST QUI ?

6

COMIQUE DE RÉPÉTITION

BISOU, VANESSA ! TU VAS BIEN ?

ON M'A RACONTÉ UNE BLAGUE TROP DRÔLE ! ATTENDS, JE VAIS TE LA DIRE.

C'EST À LA CAMPAGNE, J'ÉTAIS AVEC MA COPINE AMELLE...

ELLE VOULAIT PRENDRE LE CAR DE 13 HEURES 45 ET ON ATTENDAIT À L'ARRÊT SUR LE BORD DE LA ROUTE...

ET À UN MOMENT IL ARRIVE ET JE LUI DIS, TIENS, VOILÀ TON CAR, AMELLE !

CAR, AMELLE !

CARAMEL ! C'EST TROP DRÔLE !

AH OUI !

TU AS UNE COPINE QUI S'APPELLE AMELLE ?

NON, C'EST POUR LA BLAGUE... ELLE MARCHE MOINS BIEN AVEC VANESSA...

AH.

UN PEU PLUS TARD...

BISOU, VANESSA !

ON M'A RACONTÉ UNE BLAGUE TROP DRÔLE ! ATTENDS, JE VAIS TE LA DIRE.

J'ÉTAIS EN BAS DE CHEZ MOI AVEC MA COPINE AMELLE. ELLE VOULAIT PRENDRE LE BUS, LE 53, ET ON ATTENDAIT À L'ARRÊT.

ET À UN MOMENT, IL ARRIVE ET JE LUI DIS, TIENS, VOILÀ TON BUS, AMELLE !

BUS AMELLE !

BUSSAMEL ! C'EST EXCELLENT !

TU VOIS ? BUSSAMEL ?

LE TRUC, C'EST QUE JE N'AI PAS DE COPINE QUI S'APPELLE AMELLE.

MAIS C'EST POUR LA BLAGUE. ELLE MARCHE MOINS BIEN AVEC MOI...

C'EST SÛR...

COMPLÈTEMENT SONNÉ

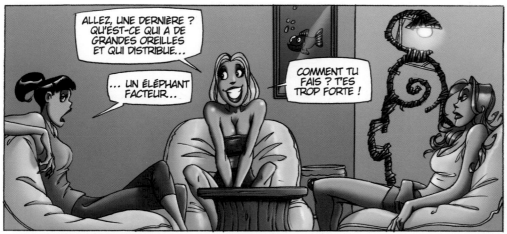

ALLEZ, UNE DERNIÈRE ? QU'EST-CE QUI A DE GRANDES OREILLES ET QUI DISTRIBUE...

... UN ÉLÉPHANT FACTEUR...

COMMENT TU FAIS ? T'ES TROP FORTE !

HOU LÀ, IL EST TARD, IL FAUT QU'ON RENTRE.

OUI, ALLEZ, ON Y VA.

JE VOUS RACCOMPAGNE À LA PORTE.

OÙ EST LA LUMIÈRE ?

ATTENDS, JE VAIS ALLUMER. IL FAUT FAIRE ATTENTION, LE BOUTON DE LA LUMIÈRE EST À CÔTÉ DE LA SONNERIE DE MONSIEUR DUPATIN.

SURTOUT QU'IL EST UN PEU...

... RONCHON...

DRINGELIN- -GUELING !

OH ZUT... ENCORE...

POURTANT, C'EST UNE CHANCE SUR DEUX...

BON SENS

J'EN AI ASSEZ D'ÊTRE SEULE...

D'APRÈS TOI, JE DOIS CHERCHER QUELLE SORTE DE MARI ?

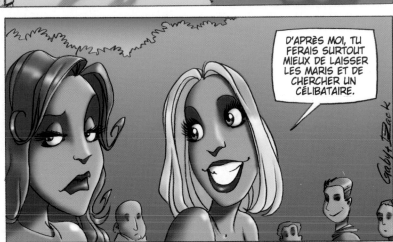

D'APRÈS MOI, TU FERAIS SURTOUT MIEUX DE LAISSER LES MARIS ET DE CHERCHER UN CÉLIBATAIRE.

COINCIDENCE

TU AS VU, CETTE ANNÉE NOËL TOMBE UN VENDREDI.

OH BEN, J'ESPÈRE QUE CE SERA PAS UN VENDREDI 13.

ÇA PORTE MALHEUR, LE VENDREDI 13.

POUR NOËL, CE SERAIT DOMMAGE.

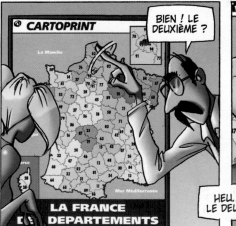

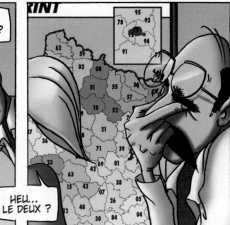

SAUT PÉRILLEUX

SOUPE DE LANGUE

DO YOU SPEAK ENGLISH ?

SPRECHEN SIE DEUTSCH ?

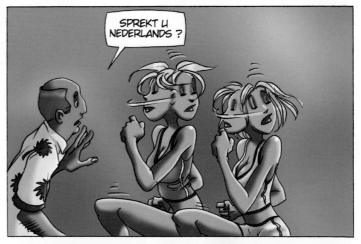

SPREKT U NEDERLANDS ?

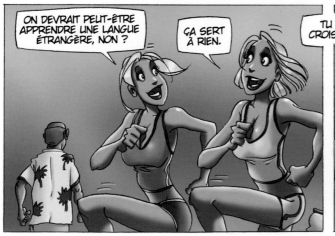

ON DEVRAIT PEUT-ÊTRE APPRENDRE UNE LANGUE ÉTRANGÈRE, NON ?

ÇA SERT À RIEN.

TU CROIS ?

LUI, IL EN CONNAISSAIT PLEIN ET ÇA LUI A SERVI À RIEN.

AH OUI.

13

OUAIIIIIS !

C'EST CELUI-LÀ QUE JE VEUX ! MAMAN ! TU ME L'ACHÈTES, DIS ?

CULTE

TU NE PRÉFÉRERAIS PAS CELUI-CI ?

NAN ! C'EST PAS LORIE ! LORIE, ELLE A LA POSITIVE ATTITUDE ! LUI, C'EST UN ÉLÉPHANT !

UN ÉLÉPHANT, OUI, MAIS UN ÉLÉPHANT FACTEUR...

JE VEUX L'AUTRE !

D'ACCORD MA CHÉRIE. VA L'ESSAYER

IL EST POURTANT BIEN CE T-SHIRT...

POSITIVE ATTITUDE, POSITIVE ATTI...

ÇA VA MA CHÉRIE ?

NAAAN ! ÇA VA PAAAS !

C'EST PAS LE BON T-SHIRT !

CELUI-LÀ, IL EST ÉCRIT À L'ENVERS !

SUPERSONIQUE

ÉCOUTE, VANESSA, CE N'EST PAS POSSIBLE...

SI, C'EST POSSIBLE, JE L'AI ENTENDU DE MES YEUX VU !

JE VEUX BIEN, MAIS RÉFLÉCHIS... IL Y A 6000 KILOMÈTRES...

D'ACCORD, TU NE ME CROIS PAS... ALORS ON PARIE ?

ON... QUOI ?

ON PARIE. MOI, JE SUIS SÛRE DE MOI. ALORS ON PARIE.

MAIS... ON PARIE QUOI ?

ON PARIE. TU AS PEUR DE PERDRE, C'EST ÇA ?

NON, BIEN SÛR...

MAIS IL FAUT ÊTRE D'ACCORD SUR LES TERMES DU PARI, HEIN...

ON EST D'ACCORD, ÇA FAIT MOINS D'UNE HEURE, HEIN ...

JE VAIS METTRE LE HAUT-PARLEUR...

SI TU VEUX. MOINS D'UNE HEURE. ET MOI JE PARIE QUE C'EST PLUS D'UNE HEURE.

AIR FRANCE, BONJOUR ?

BONJOUR MADEMOISELLE. JE VOUDRAIS SAVOIR QUELLE EST LA DURÉE D'UN VOL ENTRE PARIS ET NEW YORK, S'IL VOUS PLAÎT.

UN INSTANT...

Gaby + Zack

J'AI GAGNÉ.

JE TE L'AVAIS DIT. J'AI GAGNÉ.

UN INSTANT, C'EST MOINS D'UNE HEURE.

CLAK !

PREMIER DEGRÉ

AH, TE VOILÀ !

OH MA CHÉRIE, COMMENT T'ES-TU FAIT CELA ?

EN ME FAISANT DES NOUILLES.

HEIN ?

J'ÉTAIS EN RTT ET LE MIDI J'AI VOULU ME FAIRE DES NOUILLES.

PARFOIS, JE SUIS UN PEU DISTRAITE, ALORS, JE RÉPÈTE LES ACTIONS UNE PAR UNE...

REMPLIR LA CASSEROLE.

JETER LES NOUILLES DANS L'EAU BOUILLANTE.

QUAND ELLES SONT CUITES, PASSER LES NOUILLES DANS LA PASSOIRE ET LES ESSORER DANS L'ÉVIER.

TU AS RENVERSÉ LA CASSEROLE ET ÇA T'A ÉCLABOUSSÉE ?

NON ...

Gaby + Back

... MAIS LA PROCHAINE FOIS, JE RAJOUTERAI: "METTRE LA PASSOIRE DANS L'ÉVIER".

BON SENS 2

TELLE MÈRE

C'EST DUR...

NON...

NON ?

JE CROIS QU'IL DOIT ÊTRE SUR LA CASE NOIRE D'À CÔTÉ, LÀ.

AH ?

BON, ELLE SE MET OÙ, CELLE-LÀ ?

ILS ONT RAISON, LES GENS. IL EST COMPLIQUÉ CE JEU, MÊME POUR INSTALLER LES PIÈCES.

EXCUSEZ-MOI... POURQUOI MANGEZ-VOUS TOUTES CES GRAINES ?

ÇA ? CE SONT DES GRAINES D'INTELLIGENCE... PLUS ON EN MANGE, PLUS ON DEVIENT INTELLIGENT.

J'EN AI BESOIN POUR LIRE ÇA...

OH, ÇA A L'AIR BIEN ! VOUS POURRIEZ M'EN FAIRE GOÛTER UNE OU DEUX ?

HOULÀ, C'EST QUE C'EST TRÈS CHER CES GRAINES-LÀ. JE PEUX VOUS EN VENDRE POUR UN EURO PIÈCE.

C'EST CHER, MAIS JE VOUS EN PRENDS POUR 10 EUROS...

... QUATRE, CINQ, SIX...

MERCHI !

CRONCH CRONCH

MAIS ELLES ONT L'AIR TRÈS ORDINAIRES, VOS GRAINES...

CRONCH ?

C'EST DE L'ESCROQUERIE ! AVEC 10 EUROS, J'AURAIS PU EN ACHETER AU MOINS UN KILO !

VOUS VOYEZ, ÇA COMMENCE DÉJÀ À FAIRE EFFET !

AH ?

RACCROCHE

GROSSE FATIGUE

OUI, C'EST EXACTEMENT CE QU'IL ME FAUT.

C'EST UN CHOIX EXCELLENT, JE VOUS SORS LA FACTURE TOUT DE SUITE.

VOILÀ. JE VOUS EXPLIQUE COMMENT PROCÉDER : VOUS ALLEZ PAYER À LA CAISSE ET VOUS RÉCUPÉREZ À CÔTÉ.

RETRAIT DES ACHATS

POURQUOI ? C'EST SI FATIGANT QUE ÇA ?

VOUS AURIEZ DÛ INSTALLER LES CAISSES PLUS PRÈS...

DURA FAX SED FAX

VANESSA, LE FAX EST PASSÉ CETTE FOIS ?

PAS PLUS QUE LES HUIT DERNIÈRES FOIS, MONSIEUR. LE DESTINATAIRE ME RAPPELLE À CHAQUE FOIS POUR ME DIRE QU'IL A REÇU UNE PAGE BLANCHE.

ET... HEU... VANESSA, VOUS AVEZ BIEN INTRODUIT LA FEUILLE DANS LE BON SENS, N'EST-CE PAS ?

LE PETIT DESSIN EST PARFOIS MAL...

BIEN SÛR MONSIEUR ! ET COMME C'ÉTAIT UN DOCUMENT CONFIDENTIEL, J'AI MÊME PLIÉ LE DOCUMENT AVANT POUR QUE PERSONNE NE LE LISE...

C'EST COMME LA CONFITURE

VOUS JOUEZ À "QUESTIONS POUR UN CHAMPIGNON", CETTE QUESTION VAUT TROIS POINTS.

UNE QUESTION PERSONNALITÉ...

QUESTIONS pour un Champignon

Virginie **Josianne** **Gilles**

JE SUIS NÉE EN 1968, LE 30 MARS...

CÉLINE DION !

QUESTIONS pour un Champignon

... À CHARLEMAGNE AU QUÉBEC...

Virginie **Josia**

POOOUUUEEEE...ET

MAIS C'EST INCROYABLE ! C'EST EFFECTIVEMENT CÉLINE DION !

DANS TOUTE L'HISTOIRE DU JEU, CE DOIT ÊTRE UNE DES RÉPONSES LES PLUS RAPIDES !

EXCUSEZ-MOI, MAIS JE NE COMPRENDS PAS... VOUS N'AVEZ RÉUSSI À RÉPONDRE À AUCUNE DES QUESTIONS PRÉCÉDENTES...

ET POURTANT, ELLES N'ÉTAIENT PAS DIFFICILES ...

ELLE EST LA CAPITALE DE LA BELGIQUE ?

QUI SUCCÉDA À LOUIS XIV ?

COMBIEN DE PATTES POSSÈDE UN QUADRUPÈDE ?

EN FRANCE, QUELLE ÉTAIT LA MONNAIE AVANT L'EURO ?

AH OUI, MAIS MOI, LES SCIENCES, LA LITTÉRATURE, L'HISTOIRE, LA GÉOGRAPHIE, LA POLITIQUE, L'ÉCONOMIE, ENFIN TOUT ÇA QUOI, J'AI TOUJOURS ÉTÉ NULLE...

PAR CONTRE, LES QUESTIONS DE CULTURE GÉNÉRALE, JE SUIS IMBATTABLE.

QUESTIONS pour un Champignon

Virginie **Josianne** **Gilles**

TU ÉTAIS BIEN SÛRE QU'IL FALLAIT PRENDRE À DROITE POUR REJOINDRE LE CAR ?

OUI. ENFIN, JE CROIS...

DE TOUTE FAÇON, LA DROITE OU LA GAUCHE, TU M'AS DIT QUE C'ÉTAIT PAREIL, ILS VEULENT TOUS LE POUVOIR, IL N'Y A QUE ÇA QUI LES INTÉRESSE ?

SI ON NE RETROUVE PAS LE CAR BIENTÔT, ON VA MOURIR DE SOIF.

IL Y A BIEN UN TRUC CONTRE LA SOIF...

C'EST QUOI ?

IL FAUT SUCER

AH ?

DES PETITS CAILLOUX.

AH OUI...

DES CAILLOUX, ICI, ÇA VA ÊTRE DUR. C'EST VRAIMENT UNE BELLE PLAGE.

ON NE VA PAS SE LAISSER ABATTRE.

ON SERAIT SAUVÉES SI ON RETROUVAIT LA ROUTE.

C'EST SÛR.

IL Y A TOUJOURS DES PETITS CAILLOUX AU BORD DES ROUTES.

Gaby + Dzack

BONJOUR MADEMOISELLE !

BONJOUR, JE VOUDRAIS UNE PLACE, S'IL VOUS PLAÎT.

POUR ?

POUR VOIR UN FILM, QUELLE QUESTION...

ATALANTE ZE MOVIE.

ET VOILÀ, MONSIEUR. ATALANTE, SALLE 1. BONNE SÉANCE.

BONJOUR, JE VOUDRAIS UNE PLACE POUR ATALANTE, S'IL VOUS PLAÎT.

VOILÀ, MADEMOISELLE... ET HELL... BONNE SÉANCE ?

ELLE COMMENCE MAL, LA SÉANCE...

MADEMOISELLE, ATTENDEZ... VOUS AVIEZ DÉJÀ ACHETÉ UNE PLACE, NON ?

SI VOUS L'AVEZ PERDUE, JE...

NON, JE NE L'AI PAS PERDUE, MAIS VOUS DEVRIEZ FAIRE ATTENTION À QUI VOUS EMPLOYEZ !

UN MALADE M'A DÉCHIRÉ MON BILLET ! ET IL SOURIAIT EN PLUS ! J'AURAIS DÛ PASSER TOUT DE MÊME POUR LUI APPRENDRE À SE MOQUER DE MOI !

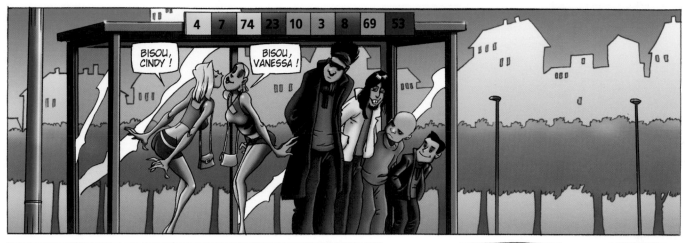

BON SENS 3

PARFUM DE FEMME

ENCORE

INSTALLEZ-VOUS LÀ, MADAME. COMME ÇA, LE BÉBÉ SERA PRÈS DE VOUS.

CELA NE VOUS DÉRANGE PAS ?

OH NON, J'ADORE LES ENFANTS, J'ADORE JOUER AVEC EUX !

JE PEUX ? JE NE SAIS PAS POURQUOI, LES ENFANTS EN BAS ÂGE M'ADORENT !

ON DIRAIT QU'ILS ME COMPRENNENT ! OU ALORS, C'EST LE CONTRAIRE ?

ALLEZ ! ON S'ENVOLE !

GA !

ENCORE !

GA !

GA ! AH AH !

ENCORE PLUS HAUT !

BEN OÙ IL EST ?

OH NON... ENCORE ?

GA ?

BAR BAR

32

C'EST MOI ET MA COPINE ! AHAHAH !

MOI ET MA...

ATTENDS...

J'Y VAIS ! À DEMAIN !

TU RACONTES MAL LA DEVINETTE !

AH ?

POUR QUE CE SOIT DRÔLE, TU NE DOIS PAS DIRE "MOI ET MA COPINE", MAIS "TOI ET TA COPINE" !

AH ?

POURQUOI ?

C'EST COMME QUAND ON DIT : "J'AI VU LE COUVREUR, IL M'A PARLÉ DE TOIT."

C'EST VRAI ? QU'EST-CE QU'IL A DIT ?

C'EST QUI ?

ÇA VA ÊTRE LONG...

FAIS-MOI CONFIANCE. IL FAUT QUE TU LA RACONTES COMME ÇA : "TOI ET TA COPINE..". TU AS COMPRIS ?

QUOI ?

ALLEZ ! LANCE-TOI !

SALUT ! JE PEUX VOUS POSER UNE DEVINETTE ?

QU'EST-CE QUI A QUATRE BRAS, QUATRE JAMBES MAIS PAS DE CERVEAU ?

C'EST TOI ET TA COPINE !

J'AVAIS BON, LÀ ?

C'EST VRAI, C'EST PLUS DRÔLE COMME ÇA !

BIENVENUE À LA PREMIÈRE ÉLECTION DE MISS BLONDE, AVEC NOTRE PARTENAIRE, BLONDE ACADEMY !

BONJOUR, QUEL EST VOTRE PRÉNOM ?

JE M'APPELLE BIRGIT, JE VIENS DE COLMAR, À DROITE DE LA FRANCE.

BIRGIT ? CE N'EST PAS UN PRÉNOM COMMUN. VOUS M'ÉPELEZ ?

VOUS AUSSI, JEAN PIERRE, VOUS ME PLAÎT BEAUCOUP !

CES BLONDES, QUEL HUMOUR !

AH ?

ET QUE FAITES-VOUS DANS LA VIE ?

JE SUIS EN BTS TOURISME HUMANITAIRE ET PLUS TARD, JE VEUX AIDER LES ANIMAUX.

TOUS LES ANIMAUX.

SAUF CEUX QUI FONT PEUR.

CEUX-LÀ, IL FAUT LES TUER.

ET VOUS PRATIQUEZ UN SPORT, M'A-T-ON DIT ?

JE M'APPELLE BIRGIT. MATONDI, CE DOIT ÊTRE UNE AUTRE CANDIDATE.

TOUJOURS CE SENS DE L'HUMOUR, HEIN ? VOUS PRATIQUEZ UN SPORT ?

OUI, L'ATHLÉTISME.

QUELLE DISCIPLINE ?

LE MILLE MÈTRES.

ET VOUS FAITES COMBIEN ?

BEN, MILLE MÈTRES...

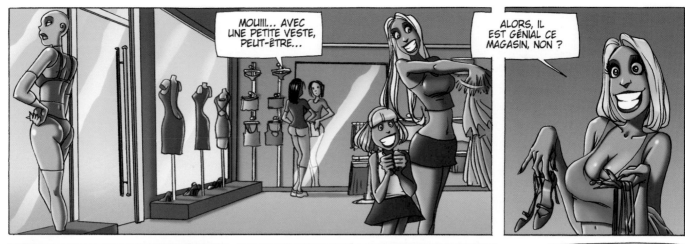

MOUIII... AVEC UNE PETITE VESTE, PEUT-ÊTRE...

ALORS, IL EST GÉNIAL CE MAGASIN, NON ?

OUI... IL EST... ET ÇA, TU CROIS QUE ÇA M'IRAIT ?

VANESSA, ÉCOUTE... JE VOULAIS T'EN PARLER DEPUIS LONGTEMPS... TU NE CROIS PAS QUE... HEU...

ENFIN, TU NE CROIS PAS QUE TU PRIVILÉGIES UN PEU UN CERTAIN CÔTÉ... HEU... SUPERFICIEL ?

ET ÇA ?

AVEC TOUT CE QU'ON RACONTE SUR LES BLONDES... AVEC LES BLAGUES QUI COURENT... ENFIN...

IL Y A MÊME DES BANDES DESSINÉES !

C'EST VRAI ?

OUI, C'EST TOUT DE MÊME TERRIBLE ! LES MECS SONT VRAIMENT DES CRÉTINS...

MAIS TU VOIS CE QUE JE VEUX DIRE ? QUAND ON TE VOIT, PARFOIS ON S'ARRÊTE À L'APPARENCE...

LES MECS SONT PEUT-ÊTRE DES CRÉTINS MAIS ILS NE SONT PAS AVEUGLES...

ET ÇA, TU CROIS QUE ÇA M'IRAIT ?

Gaby + Back

TOTO

Vanessa et les Blondes souhaitent longue vie à Toto !

DÉSOLÉ

ON A HONTE. MAIS ON VOUS AURA PRÉVENUS.

LES BLONDES existent aussi dans toutes les langues!

Si vous parlez américain avec l'accent anglais

Ah non ça c'est juste en français

Si vous parlez espagnol avec l'accent portugais

Si vous parlez allemand avec l'accent russe

... ou japonais